まちごとチャイナ
遼寧省 005

金州新区
隣り合わせる「大連の新旧」
［モノクロノートブック版］

JN121914

金州には古くから遼東半島の行政の中心があり、大連、旅順が発展するまでは遼東半島「第一の都府」と呼ばれていた。20世紀末以来、手ぜまになっていた大連の郊外（金州の南東）に開発区がおかれ、それまであった金州区と経済技術開発区が合併するかたちで2010年に金州新区が誕生した。

　金州という名前は、12世紀の金代に現れ、旧市街には明清時代の面影を伝える中国の伝統的な街区が今なお残っている。このあたりは半島の幅わずか4kmという地峡を形成

し、遼東半島南端の大連、旅順と北の遼陽、瀋陽を結ぶ要衝にあたることから、日清戦争、日露戦争の激戦地にもなった歴史ももつ。

　20世紀になって大連が港湾都市として発展し、鄧小平による改革開放が進むと、1984年、大連から北東45kmの金州(旧市街の南東)に経済特区が生まれた。21世紀に入り、著しい経済発展を続ける中国にあって、この金州新区は東北屈指の成長を見せるエリアとして注目を集めている。

| まるごとチャイナ | 遼寧省 005

金州新区

隣り合わせる「大連の新旧」

Asia City Guide Production
Liaoning 005
Jinzhouxinqu

金州新区／jīn zhōu xīn qū／ジンチョウシンチュウ

「アジア城市（まち）案内」制作委員会
まちごとパブリッシング

Contents

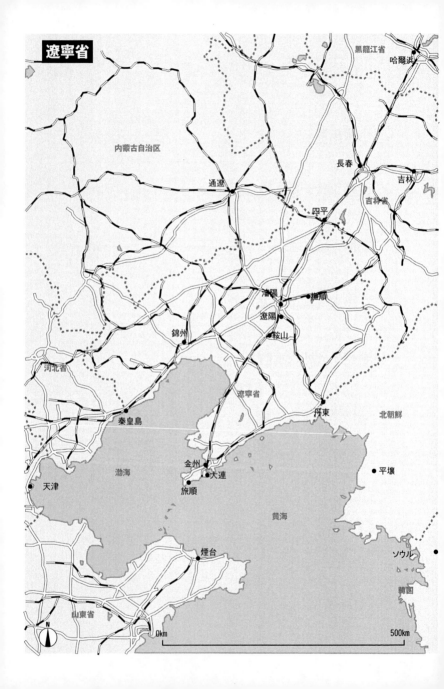

遼寧省

黒龍江省
哈爾浜

内蒙古自治区

長春
吉林
吉林省

通遼

四平

瀋陽
撫順
遼陽
鞍山

錦州

河北省

遼寧省

丹東
北朝鮮

秦皇島

渤海

金州
大連
旅順

平壌

天津

黄海

煙台

ソウル
韓国

山東省

N

0km

500km

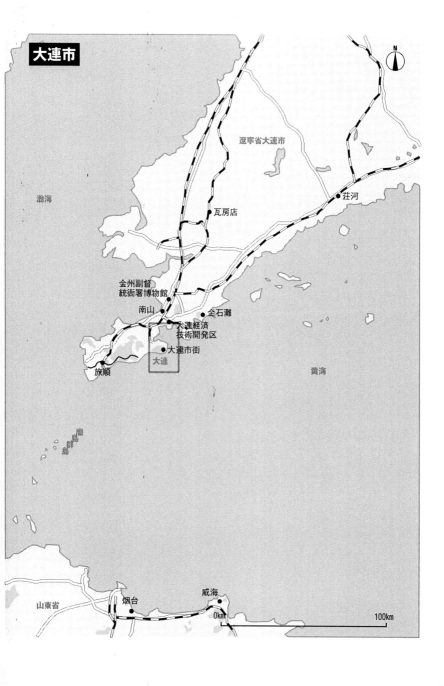

大連市

遼寧省大連市

渤海

瓦房店

荘河

金州副督
統衙署博物館
南山
金石灘
大連経済
技術開発区
大連市街
大連
旅順

黄海

山東省
烟台
威海
0km
100km

N

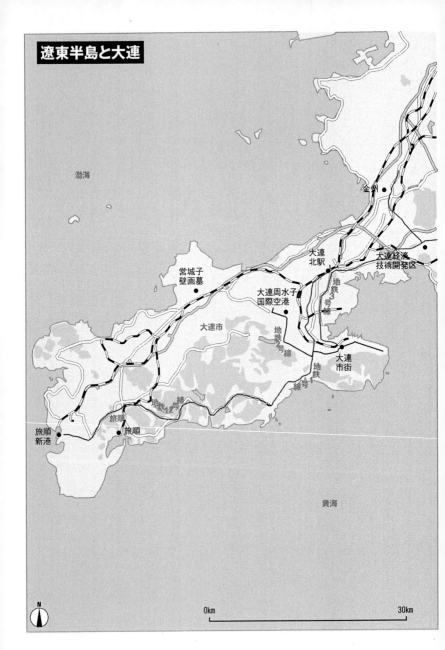

遼東半島と大連

渤海

金州

大連北駅

大連経済
技術開発区

営城子
壁画墓

大連周水子
国際空港

地鉄3号線

大連市

地鉄2号線

大連
市街

地鉄
1号線

地鉄12号線

旅順

旅順

旅順
新港

黄海

N

0km   30km

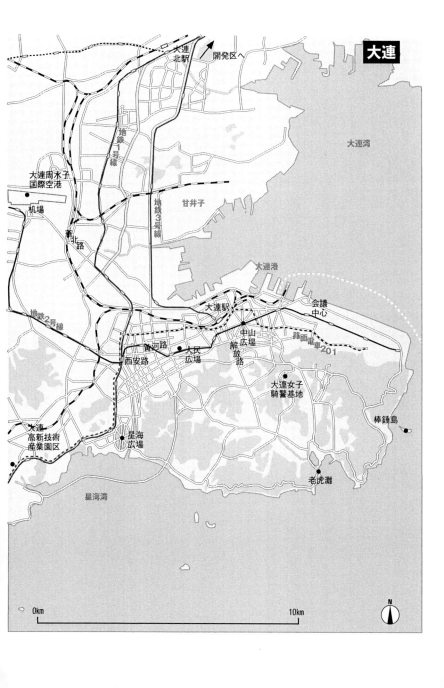

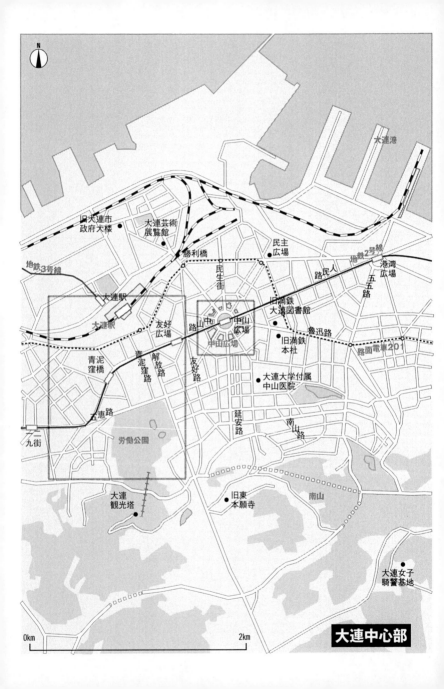

N

旧大連市
政府大楼

大連芸術
展覧館

勝利橋

民主
広場

楼鉄2号橋

地鉄3号線

民生
街

人民路

港湾
広場

五五路

大連駅

旧満鉄
大連図書館

大連駅

友好
広場

中山路

中山
広場

中山広場

旧満鉄
本社

魯迅路

路面電車201

青泥
窪橋

青泥窪路

解放路

友好路

大連大学付属
中山医院

五恵路

延安路

南山路

九街

労働公園

大連
観光塔

旧東
本願寺

南山

大連女子
騎警基地

大連港

0km　　　　　　　　　　　2km

大連中心部

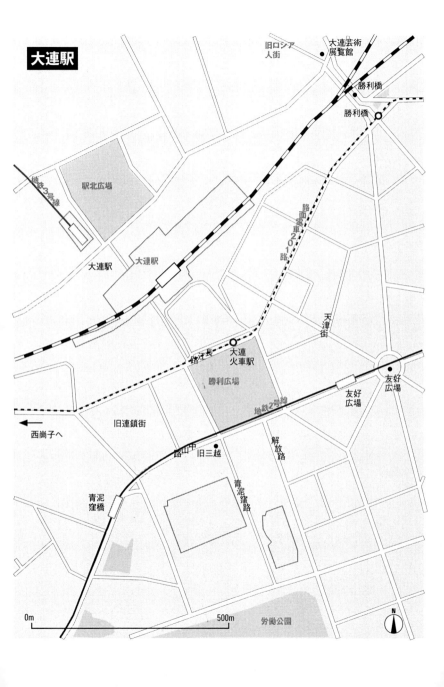

大連駅

旧ロシア人街

大連芸術展覧館

勝利橋

勝利橋

横鉄3号線

駅北広場

路面電車201路

大連駅

大連駅

天津街

蛯江長

大連火車駅

勝利広場

友好広場

友好広場

旧連鎖街

地鉄2号線

← 西崗子へ

路山中

旧三越

解放路

青泥窪路

青泥窪橋

青泥窪

0m   500m   労働公園

N

金州の街角、都市化が進む

モニュメントが立つ、金馬路にて

大連快軌3号線が大連市街と金州新区を結ぶ

大黒山響水寺の牌楼

躍動する大連の新たな顔

**経済発展が続く大連
新たに開発区に選ばれたのは
古くこの地方の古都がおかれていた金州南東の地だった**

金州新区の地理

　大連の北東に位置し、大連快軌3号線で市街と結ばれている金州新区。1984年に大連が経済特区に指定されると、手狭になった市街ではなく古都金州の南東に、50平方kmもの敷地をもつ大連経済技術開発区がおかれた。哈大高速鉄道の始発点となる大連北駅、周水子空港へのアクセスがよく、東北地方の新たなビジネス拠点となっている。また1898年にロシアが大連の建設をはじめたとき、当初は大連（青泥窪）と金州新区のあいだの柳樹屯が選ばれていたという経緯がある（金州新区から南西の半島）。けれども南風が強いこと、土砂による港の水深の浅さ、後背地が広くないことなどから、大連（青泥窪）の地で都市建設が進むことになった。

開発区のはじまり

　1978年に鄧小平が中国共産党の実権をにぎると、それまでの計画経済から外資を誘致し、工業を振興させる経済政策へ転換した。この改革開放は当初、深圳や広州など南方からはじまったが、その成功を受けて1984年、大連にも経済特区がおかれることになった。こうして金州の地、約1万人の農民が暮らす農地を整備し、20世紀末までに15万人規模の

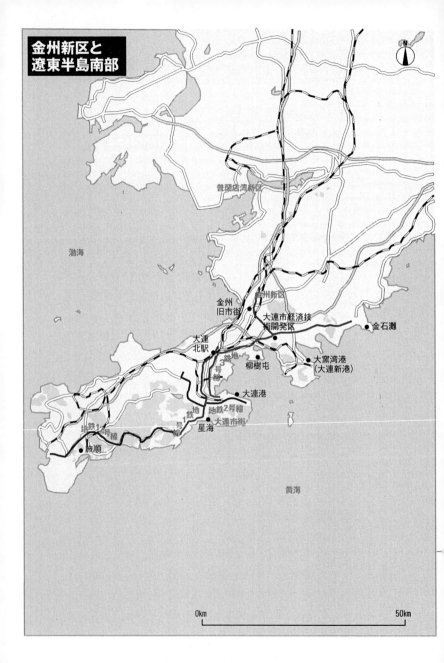

金州新区と
遼東半島南部

渤海

薔蘭店湾新区

金州新区

金州
旧市街

大連市経済技
術開発区

●金石灘

大連
北駅

地鉄3号線

柳樹屯

大窯湾港
（大連新港）

大連港

地鉄2号線

地鉄1号線

地鉄1号線

●旅順

星海

大連市街

黄海

0km   50km

都市をつくることが計画された。空港、鉄道、道路、発電所が
整備され、工業とソフトウェアなどを中心に外資が呼び込
まれた(大連は日本の政令指定都市に相当する14の計画単列都市にあた
り、市政府の強い権限のもと開発が進められた)。

金州の歴史

　開発区から北西に位置する金州旧市街には、大連や旅順
では見られない中国の伝統的な街区が今も残っている。古
代、燕の勢力下にあったこの地には、廟島半島をへて山東と
中国東北部を結ぶ街道が走り、遼東半島南部の行政、経済の
中心となってきた。金州という名前は、金代末期の1216年
にはじめて現れ、女真族が金州近くの土地で屯田していた
と伝えられる。以後、元、明代を通じて遼東半島を統括する
官吏が金州に派遣されるようになった。とくに清代に入っ
て海路交通が盛んになると、瀋陽に準ずる副都督がおかれ、
その衙門(役所)跡は現在も残る。また日露戦争以後の日本統
治時代には、日本は大連、旅順とともに金州に民政署をおい
て植民地支配の拠点とした(また日本人による果樹農園も多く、金
州りんごは広く知られていた)。20世紀以後の大連の急速な発展
を受けて、遼東半島南部の中心は、金州から大連に遷ること
になった。

★★☆
大連市経済技術開発区／大連市経済技术开发区 ダァーリエンシィジンジイジイシュウカイファアチュウ
金州旧市街／金州城市 ジンチョウチャンシー
★☆☆
大連北駅／大连北站 ダァーリエンベイチャン
金石灘／金石滩 ジンシィタン
大窯湾港／大窑湾港 ダァアヤオワンガン

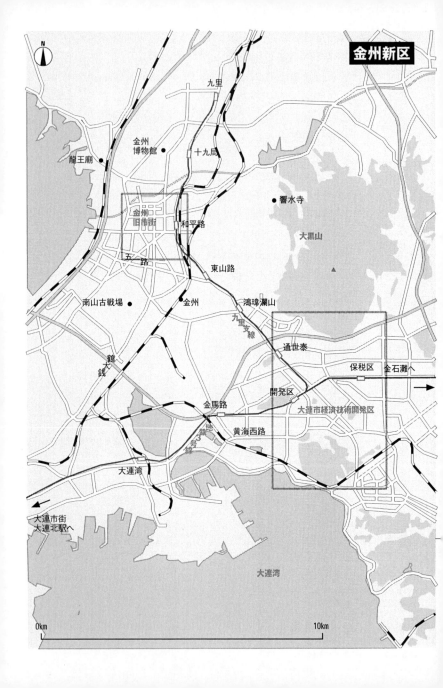

N

金州新区

九里

金州
博物館

龍王廟

十九局

響水寺

大黒山

金州
旧市街

和平路

五路

南山古戦場

東山路

金州

鴻瑋瀾山

九里芝線

通世泰

保税区 金石灘へ

開発区

大連市経済技術開発区

鶴金

金馬路

総緯３号線

黄海西路

天連湾

大連市街
大連北駅へ

大連湾

0km   10km

★★☆
大連市経済技術開発区／大连市经济技术开发区 ダァーリエンシィジンジイジイシュウカイファアチュウ
金州旧市街／金州城市 ジンチョウチャンシー

★☆☆
大黒山／大黑山 ダァアヘイシャン
響水寺／响水寺 シィアンシュイスー
金州博物館／金州博物馆 ジンチョウボォウーグァン
南山／南山 ナンシャン

開発区城市案内

大連北東に位置する開発区を擁する金州新区
ほとんど何もなかった土地に
蜃気楼のように都市が現れた

大連市経済技術開発区／大连市经济技术开发区 ★★☆
dà lián shì jīng jì jì shù kāi fā qū
だいれんしけいざいぎじゅつかいはつく／ダーリエンシィジンジイジイシュウカイファアチュウ

　金州新区の中心に位置する大連市経済技術開発区は、1984年に設置された。大連市は直轄市に準ずる権限をあたえられているため、市政府の誘致政策、税制面の優遇などで積極的な政策がとられ、日本と香港の企業を中心に多くの外資が進出することになった(外資の資本や技術力をもって大連経済を発展させる)。大連開発区の利点は、日本との距離が近いこと、他の都市にくらべて住みやすいこと、日本語が話せるなど労働者の質が高いことなどがあげられる。一方で、長江デルタを擁する上海や珠江デルタを擁する広州、深圳にくらべて消費市場の規模が小さいところがマイナス点となっている。

日本とのつながりが深い街

　戦前には満鉄の本社がおかれ、歴史的に日本とつながりの深い大連は、中国のなかでも親日的な街として知られる。この大連に日本企業の進出が多いのは、日本語を話せる人材や日本の文化に理解がある人が多く、生活環境が優れているところがあげられる。世界最大規模の日本語学部をも

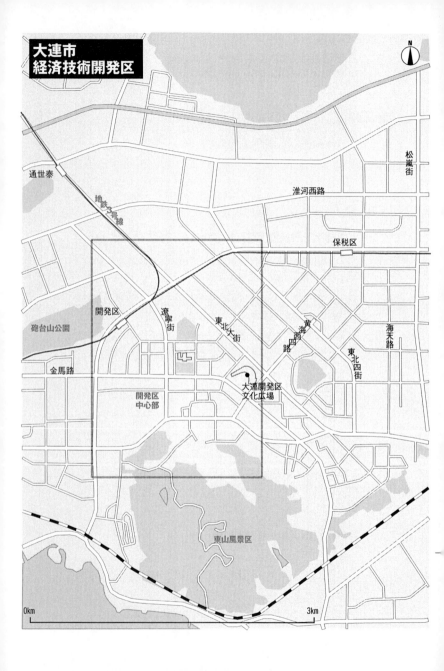

大連市
経済技術開発区

N

松嵐街

通世泰

地鉄3号線

淮河西路

保税区

開発区

遼寧街

砲台山公園

東北大街

黄海西路

海天路

東北四街

金馬路

開発区中心部

大連開発区文化広場

東山風景区

0km   3km

つ大連外国語学院はじめ、大連は日本語教育が盛んな街となっている。

金馬路／金马路★☆☆
jīn mǎ lù
きんまろ／ジンマアルウ

金馬路は、大連開発区を東西に走る目貫通り。人民政府が位置するほか、通りの両脇には高層ビルが立ちならぶ。

大連開発区文化広場／大连开发区文化广场★★☆
dà lián kāi fā qū wén huà guǎng chǎng
だいれんかいはつぶんかひろば／ダァーリエンカイファアチュウウェンファアグァンチャン

開発区の中心に位置する大連開発区文化広場。文化センターや劇場、図書館などが一体化した巨大建築で、多くの市民が集まっている。

東山風景区／东山风景区★☆☆
dōng shān fēng jǐng qū
とうざんふうけいく／ドンシャンフェンジンチュウ

開発区の南部に広がる東山風景区。自然の地形を利用して遊歩道が整備されているほか、中心の童牛嶺には円盤型の観光塔が立つ。

★★☆
大連市経済技術開発区／大连市经济技术开发区 ダァーリエンシイジンジイジイシュウカイファアチュウ
大連開発区文化広場／大连开发区文化广场 ダァーリエンカイファアチュウウェンファアグァンチャン
★☆☆
金馬路／金马路 ジンマアルウ
東山風景区／东山风景区 ドンシャンフェンジンチュウ
砲台山公園／炮台山公园 パオタイシャンゴンユェン

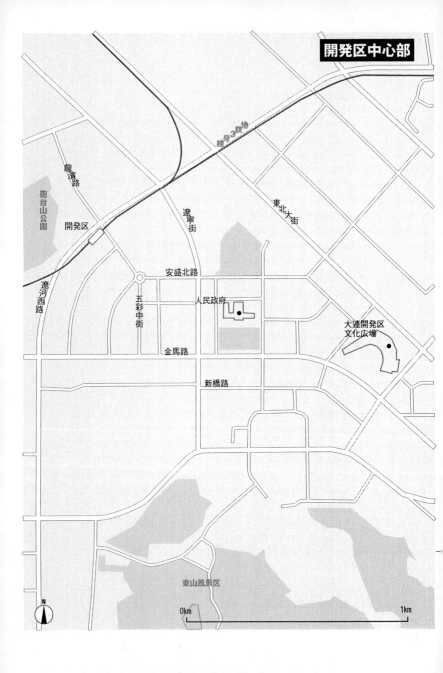

開発区中心部

砲台山公園

龍濱路

開発区

遼河西路

特号3軌場

遼寧街

東北大街

五彩中街

安盛北路

人民政府

金馬路

新橋路

大連開発区
文化広場

東山風景区

N

0km　　　　　　　　　　1km

砲台山公園／炮台山公园 ★☆☆
pào tái shān gōng yuán
ほうだいさんこうえん／パオタイシャンゴンユェン

　開発区の北西側に位置する砲台山公園。丘陵状の公園には、かつて防御用の砲台がおかれていた(「砲台の山」を意味する)。

大窯湾港／大窑湾港 ★☆☆
dà yáo wān gǎng
だいようわんこう／ダァアヤオワンガン

　開発区の南東に位置する大窯湾港。大連湾の北側にあたり、14mの平均水深をもつ。発展を続ける開発区の海の窓口(大連新港)となっている。

盛んな養殖業

　三方向を海に囲まれた大連では、漁業とともに養殖業が発展している。街には海鮮料理を出す店も多く、1年を通じて海の幸を味わうことができる。

金石灘／金石滩 ★☆☆
jīn shí tān
きんせきたん／ジンシィタン

　金石灘は金州新区の東端に位置する景勝地。国家地質公園にも指定され、黄海に面して30km以上に渡って海岸線が続く。

★★☆
大連市経済技術開発区／大连市经济技术开发区　ダァーリエンシィジンジイジイシュウカイファアチュウ
大連開発区文化広場／大连开发区文化广场　ダァーリエンカイファアチュウウェンファアグァンチャン

★☆☆
金馬路／金马路　ジンマアルウ
東山風景区／东山风景区　ドンシャンフェンジンチュウ
砲台山公園／炮台山公园　パオタイシャンゴンユェン

屋台はじめ飲食店も多い

東山風景区の観光塔が見える　　　　大連開発区文化広場、高い都市文化を感じられる

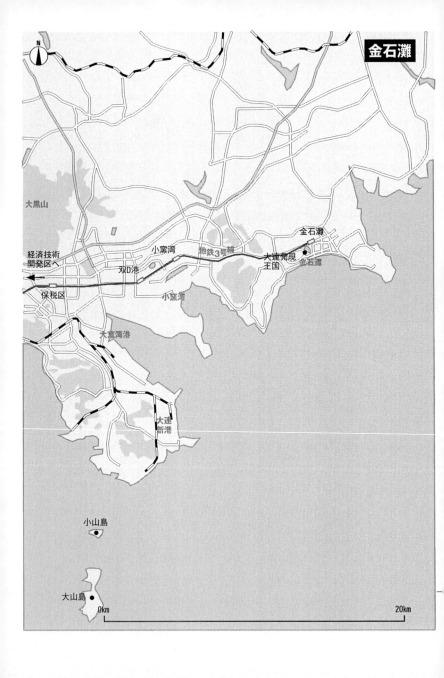

大連発現王国／大连发现王国★☆☆

dà lián fā xiàn wáng guó

だいれんはつげんおうこく／ダァーリエンファーシィエンワァングゥオ

金石灘に面した巨大テーマパークの大連発現王国（ディスカバリー王国）。発現広場を中心に伝奇城堡、魔法森林、金属工廠、神秘沙漠、瘋狂小鎮、婚礼殿堂といったゾーンからなる。沙漠や森、中世の城などそれぞれの世界観にあわせたアトラクションが用意されている。

大連北駅／大连北站★☆☆

dà lián běi zhàn

だいれんきたえき／ダァーリエンベイチャン

大連北駅は、大連から瀋陽、長春、ハルビンを結ぶ哈大旅客専用線高速鉄道の駅。大連市街の開発が進んで手ぜまになったことから、市の北20kmの地点にあたる大連市甘井子区につくられた。

★☆☆
大窯湾港／大窑湾港 ダァアヤオワンガン
金石灘／金石滩 ジンシィタン
大連発現王国／大连发现王国 ダァーリエンファーシィエンワァングゥオ

大型店舗の出店も相次ぐ

金州旧城城市案内

金州は大連が発展する以前からの長い歴史をもつ街
遼東半島「第一の都府」と呼ばれ、
中国の伝統的な街区を現在も残している

金州旧市街／金州城市★★☆
jīn zhōu chéng shì
きんしゅうきゅうしがい／ジンチョウチャンシー

　明清代から遼東半島南部の行政の中心がおかれてきた金州旧市街。近代になって築かれた大連や旅順と違って、かつては高さ6mの城壁が東西600m、南北760mの規模でめぐらされていた（海辺を襲った倭寇に対する防御拠点になっていた）。20世紀初頭、金州を訪れた正岡子規が「全廓の長さ一里許りにして東西南北の四門あり。門には漢字もて其名を記し傍に満州文字を添えたり」と記すなど、日本の城とは異なる中国の伝統的な街区を現在でも残している。日本から見て大陸への入口にあたる遼東半島南部の中心都市であることから、日清戦争、日露戦争時に日本軍が侵攻、占領したという歴史もある。

斯大林路歩行街／斯大林路歩行街★☆☆
sī dà lín lù bù xíng jiē
すたーりんろこうがい／スーダァリンルゥブゥシンジエ

　金州旧市街の中心部を南北に伸びる斯大林路歩行街（スターリン歩行街）。多くの人でにぎわうほか、キリスト教会の金州教堂も立つ。またこの通りの南端に向応広場には、金州出身で八路軍で活躍した関向応の銅像が立つ。

向応広場に立つ関向応の銅像

遼東半島南部を管轄した役所跡、金州副督統衙署博物館

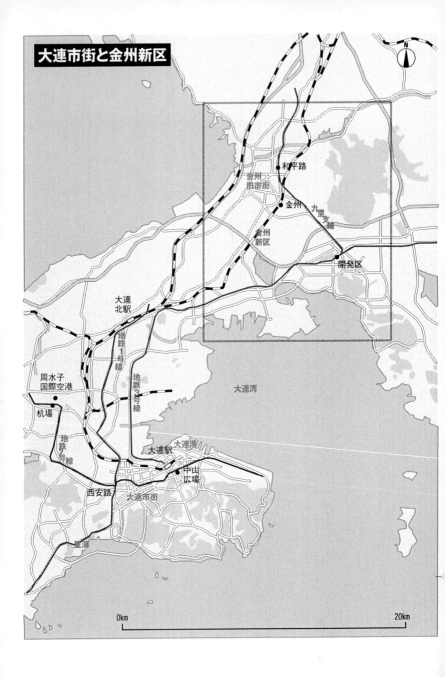

大連市街と金州新区

N

和平路
金州
旧市街
金州
九里支線
金州
新区
開発区

大連
北駅

地鉄1号線

周水子
国際空港
机場

地鉄3号線

地鉄号線

大連湾

大連駅 大連湾
中山
広場

西安路
大連市街

鹽海

0km   20km

金州副督統衙署博物館／金州副督统衙署博物馆★★☆
jīn zhōu fù dū tǒng yá shǔ bó wù guǎn
きんしゅうふくとくとうがしょはくぶつかん／ジンチョウフゥドゥトンヤァシュウボォウーグァン

かつての金州城の中心部に立ち、金州はじめ遼東半島南部を統治にあたった金州副統衙署。清代、瀋陽に盛京将軍がおかれて遼寧省の統治にあたっていたが、海運が発達したことで遼東半島南部の重要性が高まり、金州に副都統をおいて副都統衙門をもうけた(清代末、李鴻章によって旅順に北洋艦隊の水師営が構えられるなど海防の意識も高まった)。現在は博物館となっているほか、すぐ西隣りには道教寺院が位置する。また1904〜5年の日露戦争時にはここに軍司令部がおかれていたという歴史もある。

正岡子規の句碑／正冈子规俳句诗碑★☆☆
zhèng gāng zǐ guī pái jù shī bēi
まさおかしきのくひ／チャンガンズゥグイパイジュウシィベイ

金州副統衙署博物館の裏手に位置する正岡子規の句碑。俳人正岡子規は、陸羯南が主催する新聞社「日本」の従軍記者として1895年、遼東半島を訪れ、大連、旅順、金州などを35日現地を取材して帰国した(戦局はほぼ決まり、下関条約がまもなく結ばれるという比較的安全な時期、前線への派遣が決まった近衛師団の従軍記者として海を渡った)。そのとき子規は「金州の城門高き柳かな」などの俳句を詠んでいるが、ここ金州副統衙署博物館裏手の敷地には同じく子規が金州で詠んだ「行く春の酒をたまはる陣屋哉」という俳句の碑が残っている。これは1940年、大連平原俳句会と正岡子規と同郷の愛媛県人会がこの地に建てたもので、戦後、所在がわからなくなっていた

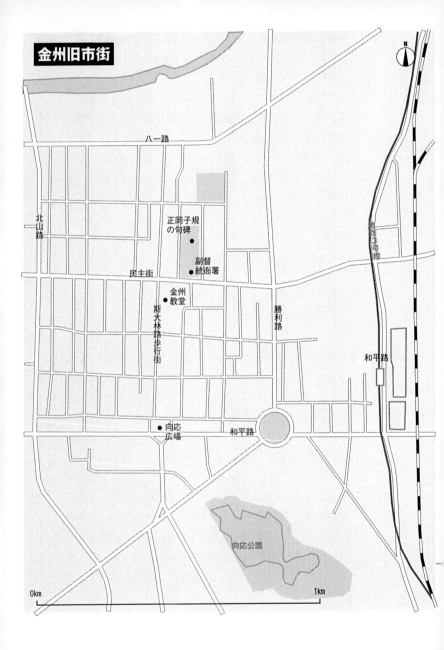

金州旧市街

八一路

北山路

正岡子規
の句碑

副督
統徇署

民主街

金州
教堂

勝利路

斯大林路歩行街

和平路

向応
広場

和平路

向応公園

0km   1km

が、1998年、工事中に発見された。

正岡子規の従軍

　正岡子規は明治維新の前年の1867年に生まれ、「柿くへば鐘が鳴るなり法隆寺」といった革新的な俳句を詠んだ。上京して大学予備門（一高）で夏目金之助（漱石）を知るなど文学や俳句を学び、陸羯南のもとで新聞記者となった。子規は若くして肺結核におかされ、周囲が身体の状態を心配するなかで、日清戦争の従軍を希望していた（当時、新聞各紙は日本兵の戦いを伝えることで発行部数を伸ばしていた）。1895年、念願かなって子規の従軍は許可され、広島の宇品から大連の柳樹屯に上陸し、その日のうちに金州を訪れ、民家に宿泊している。また約1か月の滞在のなかで、軍医として戦争に参加していた森鷗外のもとを訪れ、俳句談義も行なっている。大連からの帰りに甲板のうえから泳いでいる鱶（ふか）を見ようとして子規は喀血し、すぐに神戸病院に運ばれた。以後、1902年になくなるまで脊椎カリエスをわずらい、苦しみながら俳句を詠んだ（血を吐くまで啼くと言われるホトトギスにちなんで「子規」と号したという）。

★★☆
金州旧市街／金州城市　ジンチョウチャンシー
金州副督統衙署博物館／金州副督統衙署博物館　ジンチョウフゥドゥトンヤァシュウボォウーヴァン
★☆☆
斯大林路歩行街／斯大林路歩行街　スーダァリンルゥブゥシンジエ
正岡子規の句碑／正冈子规俳句诗碑　チャンガンズゥグイパイジュウシィベイ

かつては城壁をめぐらせた城市だった

金州副統衙署博物館裏手には正岡子規の句碑も残る

金州郊外城市案内

遼東半島随一の名山とたたえられる大黒山
日露戦争での激戦の舞台となった南山
金州旧市街郊外に点在する景勝地

大黒山／大黑山 ★☆☆
dà hēi shān
だいこくさん／ダァアヘイシャン

　金州旧市街の東にそびえる大黒山は高さ663mで、遼東半島でもっとも美しい山にあげられる。「大赫山」「大和尚山」「マウントサムソン(聖書からとった)」など、これまでさまざまな名前で呼ばれ、唐王教、観音閣、朝陽寺、響水寺などいくつもの寺院や景勝地が展開する。大連の都市建設にあたって、中央の中山広場から放射状に広がる軸線延長のひとつは、この大黒山に向かって伸びるよう設計されたという。

響水寺／响水寺 ★☆☆
xiǎng shuǐ sì
きょうすいじ／シィアンシュイスー

　響水寺は唐代からの伝統をもつ道教寺院。風光明媚な大黒山の自然に調和するように寺院や亭が配置され、境内には線香の匂いが立ちこめている。近代以後に発展した大連にあって中国の伝統的な建築様式を感じられる。

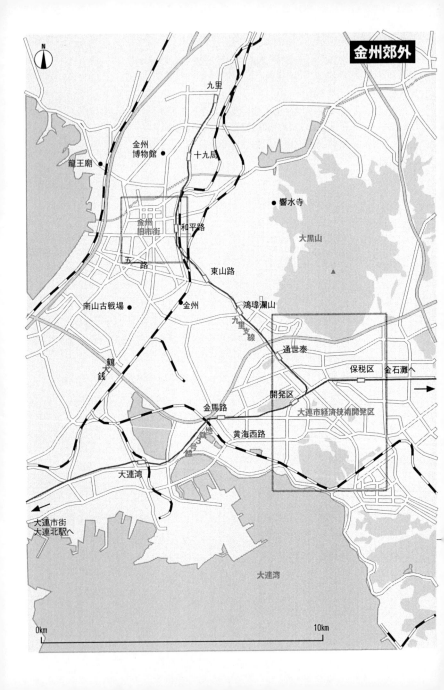

南山／南山★☆☆

nán shān

なんざん／ナンシャン

　南山は1904年に開戦した日露戦争の初期に激戦が交わ
された古戦場で、ここを占領すれば遼陽、瀋陽と大連、旅順
を分断できることから、要衝となっていた。南山の地は半島
の喉元のように幅4kmと細く、ロシアは大連、旅順を守る要
塞を半島を横断するようにつくっていた。1904年5月、日本
軍は遼東半島西岸に展開し、金州城と南山への砲撃を開始、
金州湾から海軍の砲撃もあって、4000人の死傷者を出しな
がら日本軍は金州、大連を占領した。南山が落ちるとロシア
人は大連から旅順へと逃げ込み、第二軍は満州平野に北上
し、乃木希典ひきいる第三軍が旅順へと向かった。

金州博物館／金州博物馆★☆☆

jīn zhōu bó wù guǎn

きんしゅうはくぶつかん／ジンチョウボォウーグァン

　金州旧市街の北側に位置する金州博物館。遼東半島南部
で一番の歴史をもち、明清代には政治の中心があった金州
の歴史をたどることができる。また日清戦争、日露戦争の戦
いの展示が見られる。

★★☆
大連市経済技術開発区／大连市经济技术开发区 ダァーリエンシィジンジイジイシュウカイファアチゥウ
金州旧市街／金州城市 ジンチョウチャンシー

★☆☆
大黒山／大黑山 ダァアヘイシャン
響水寺／响水寺 シィアンシュイスー
金州博物館／金州博物馆 ジンチョウボォウーグァン
南山／南山 ナンシャン

道端では新鮮な魚介類を売っていた

山の斜面に展開する道教寺院、響水寺

明治文人将軍と金州

日清戦争と日露戦争
日本の近代史を語るうえでかかせない
いずれの戦争でも金州はその舞台となってきた

文人たちが訪れた金州

　従軍記者として、また満鉄の招待で明治の文人の多くが遼東半島の金州を訪れ、その記録を残している。1894年の日清戦争で、従軍記者正岡子規は第二軍医部軍医監として勤務していた森林太郎（森鴎外）と金州で俳句談義を交わし、1904年の日露戦争で従軍記者田山花袋は「金州城は東西南北の四門を有し、其門より起れる道路は、中央に一集合地點を作り、其處には關帝の廟を祀つてある」（『第二軍従征日記』）という記録を残している。与謝野晶子は与謝野鉄幹とともに金州を訪れ、（大連、旅順とは異なる）城壁に囲まれた中国の市街をはじめて見て、「城」という語が日本の「城」とは違うことがわかったと記している（『満蒙遊記』）。

金州と乃木希典

　日露戦争で旅順攻略の第三軍をひきいた乃木希典は、1904年の南山の戦いで長男勝典をなくすことになった。南山の戦いで傷つき、金州の野戦病院で死んだ勝典の様子を伝え聞いた乃木希典は、「うむ、そうか」と一言言ったと伝えられる（また203高地で次男保典も失っている）。のちに南山の戦場を視察し、墓廟を訪れた乃木希典は「山川草木轉荒涼 十里風

腥新戦場 征馬不前人不語 金州城外立斜陽（山川草木転（うた）た
荒涼／十里風腥（なまぐさ）し新戦場／征馬前（すす）まず人語ら
ず／金州城外斜陽に立つ）」という漢詩を詠んでいる。

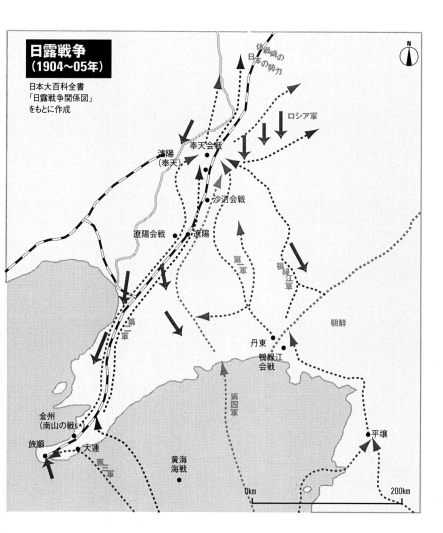

日露戦争
（1904〜05年）

日本大百科全書
「日露戦争関係図」
をもとに作成

N

休戦時の
日本の勢力

ロシア軍

奉天会戦

瀋陽
（奉天）

沙河会戦

遼陽会戦　　遼陽

第一軍

鴨緑江軍

朝鮮

第二軍

丹東
鴨緑江
会戦

第四軍

金州
（南山の戦い）

旅順

大連

第三軍

黄海
海戦

平壌

0km

200km

古銭が売られていた、金州副都統衙署博物館前にて

金州では中国の伝統も感じられる

『中国への直接投資と経済技術開発区』(劉麗君/経済経営論集)

『中国・大連経済技術開発区を支える日系企業』(武井勇/国学院大学栃木短期大学紀要)

『中国の工業地理』(北村嘉行/地理)

『満蒙全書』(南満洲鐵道株式會社社長室調査課/満蒙文化協會)

『正岡子規、従軍す』(末延芳晴/平凡社)

『大連市に甦る子規の句碑』(池内央/短歌新聞社)

『森鴎外と日清・日露戦争』(末延芳晴/平凡社)

『第二軍従征日記』(田山花袋/筑摩書房)

『大連市史』(大連市編/大連市)

『世界大百科事典』(平凡社)

[PDF]大連地下鉄路線図http://machigotopub.com/pdf/dalianmetro.pdf

[PDF]大連旅順金州地下鉄路線図http://machigotopub.com/pdf/dalianlushunmetro.pdf

[PDF]大連空港案内http://machigotopub.com/pdf/dalianairport.pdf

[PDF]大連路面鉄道路線図http://machigotopub.com/pdf/dalianromen.pdf

OpenStreetMap

(C)OpenStreetMap contributors

金州新区／隣り合わせる「大連の新旧」

まちごとパブリッシングの旅行ガイド

Machigoto INDIA , Machigoto ASIA , Machigoto CHINA

マカオ-まちごとチャイナ

Juo-Mujin（電子書籍のみ）

自力旅游中国Tabisuru CHINA

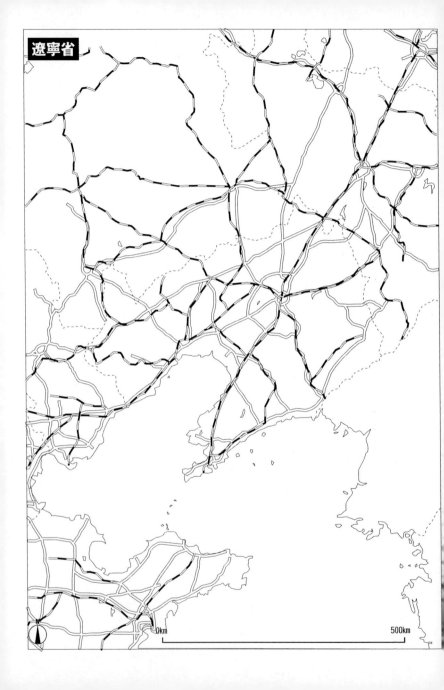

遼寧省

500km

0km

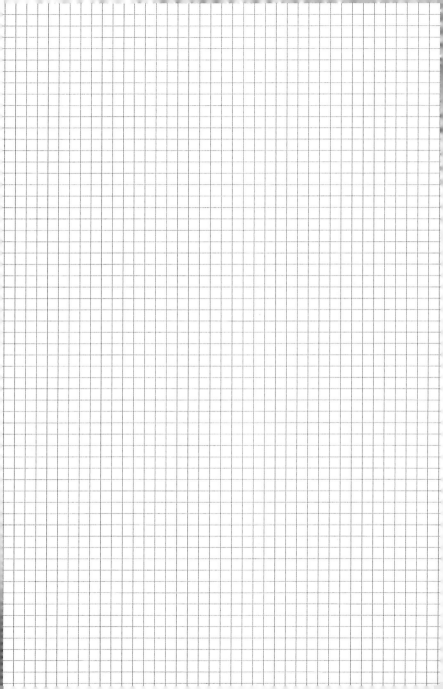

大連市

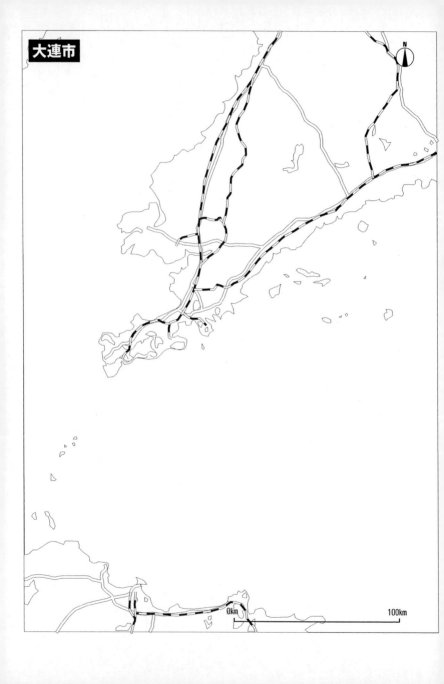

N

100km

0km

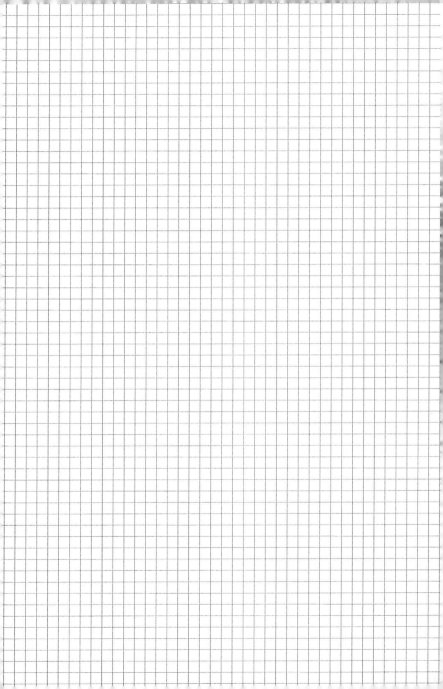

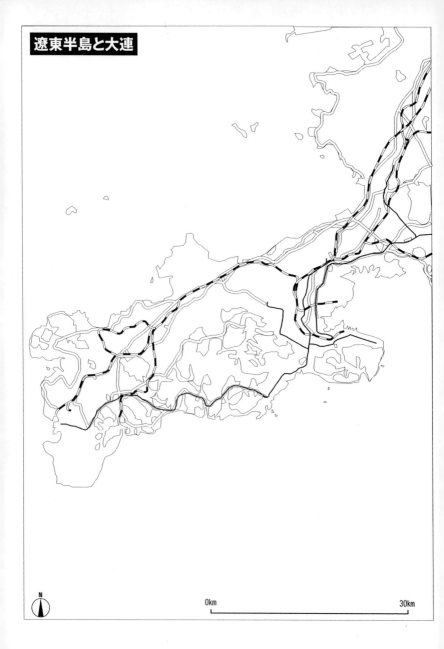

遼東半島と大連

N

0km 30km

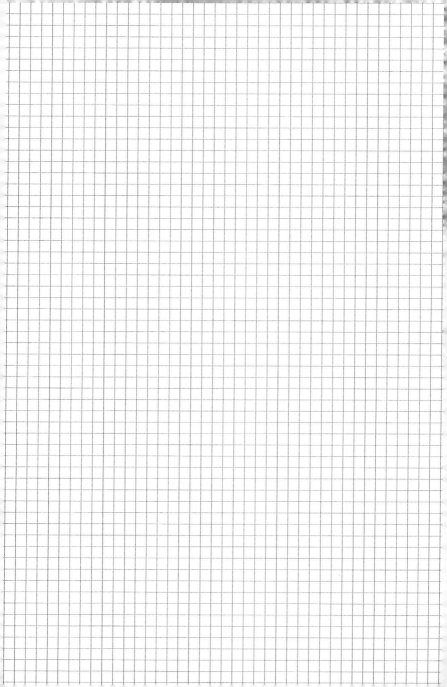

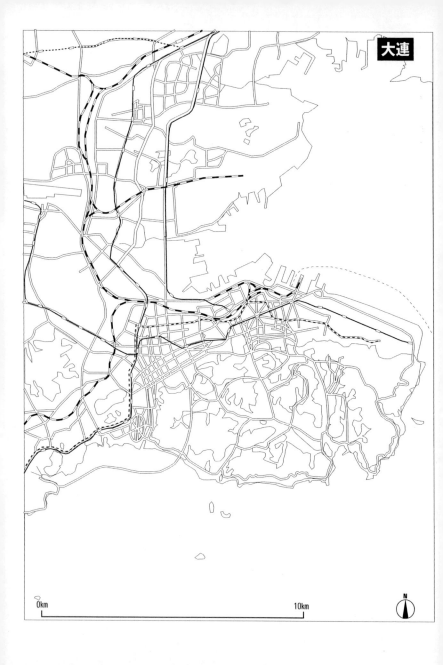

大連

0km　　　　　　　　　10km

N

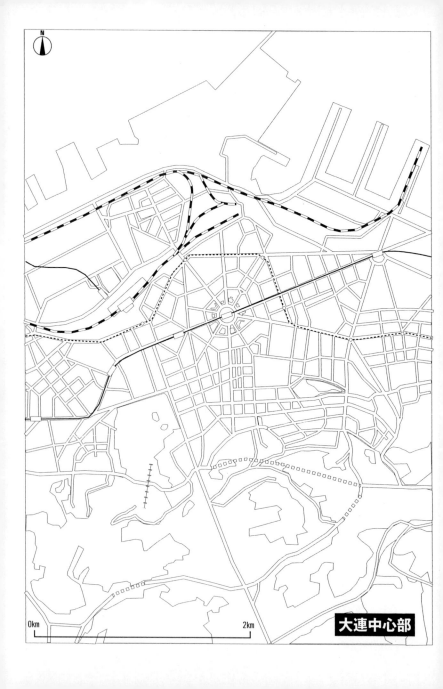

N

0km　　　　　　　　　　　　2km

大連中心部

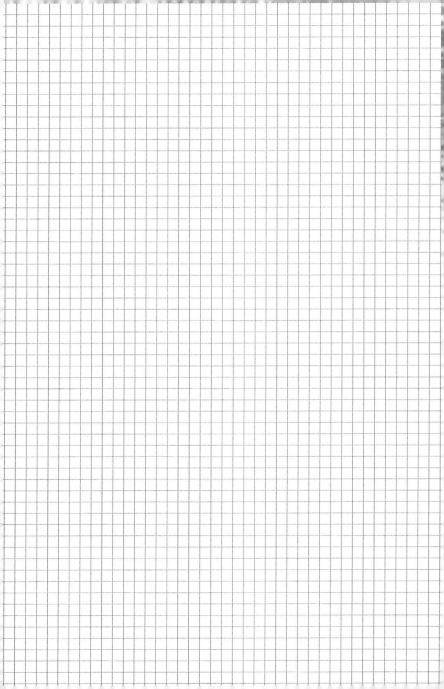

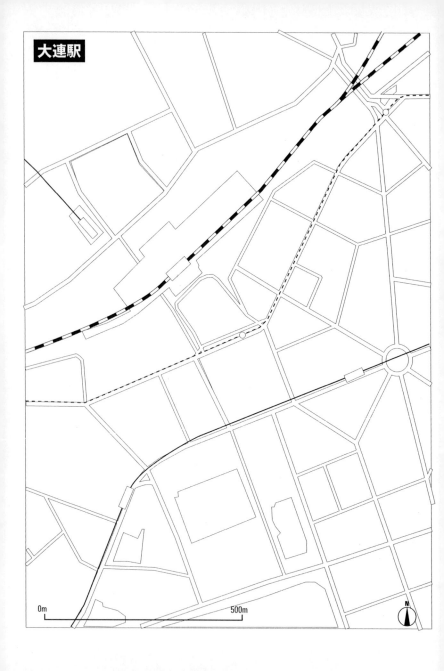

大連駅

0m   500m

N

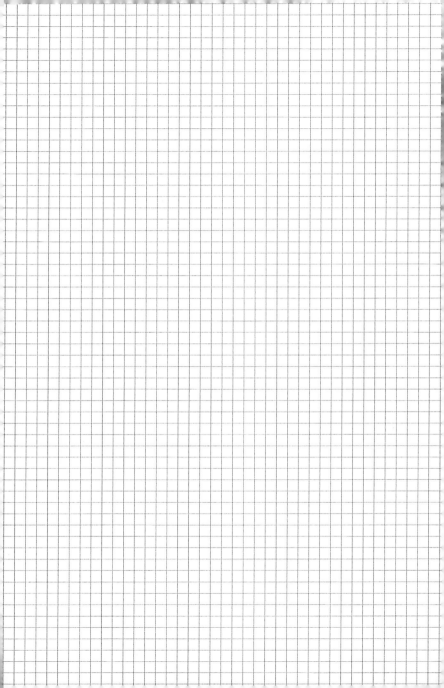

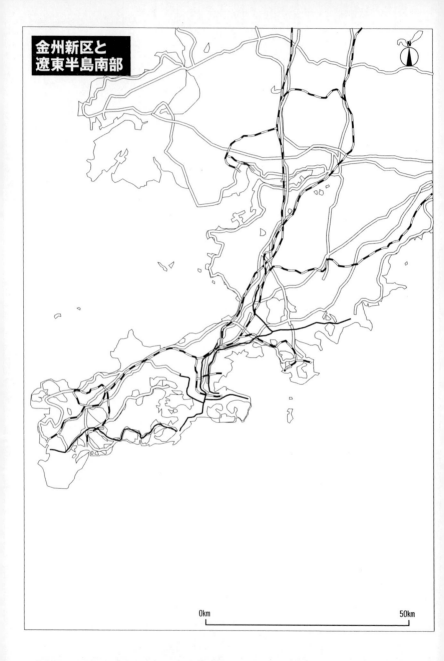

金州新区と
遼東半島南部

N

0km   50km

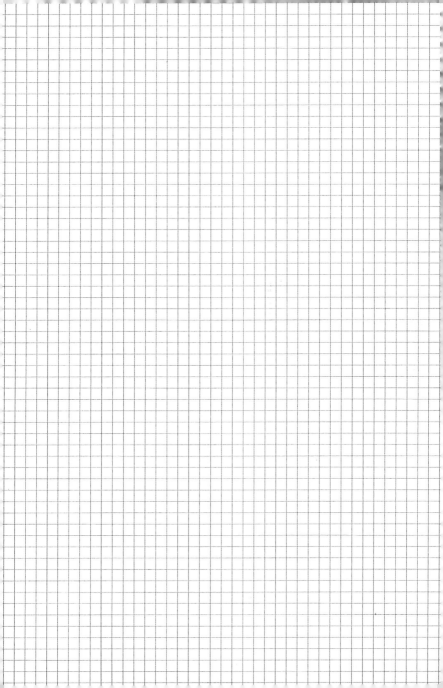

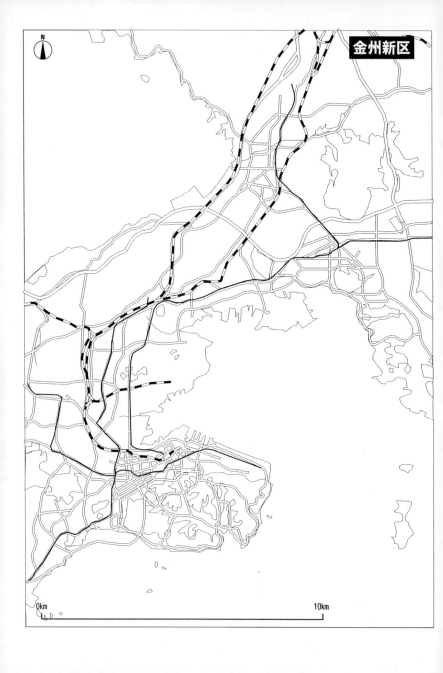

金州新区

0km　　　　　　　　　　10km

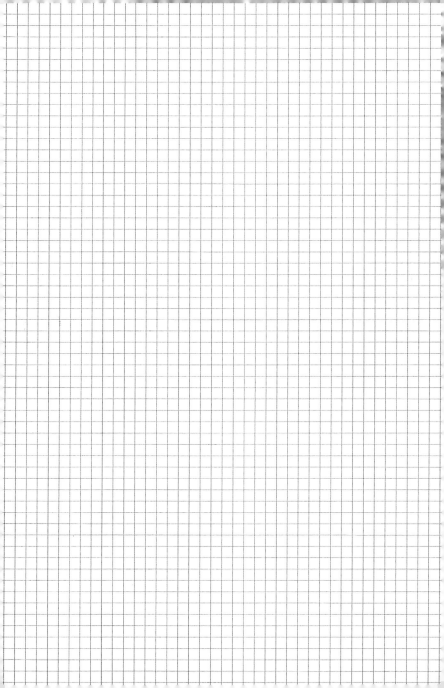

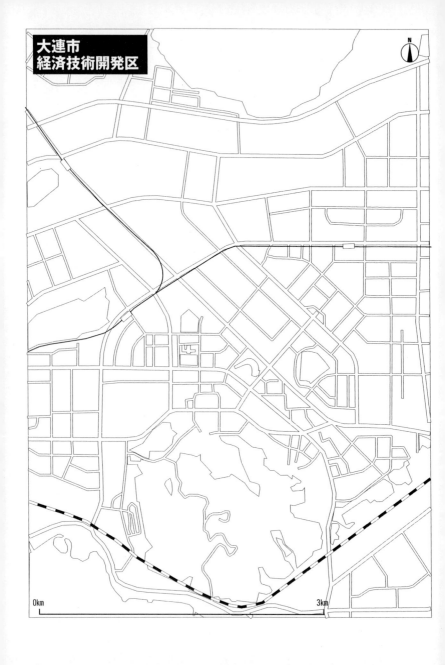

大連市
経済技術開発区

N

0km   3km

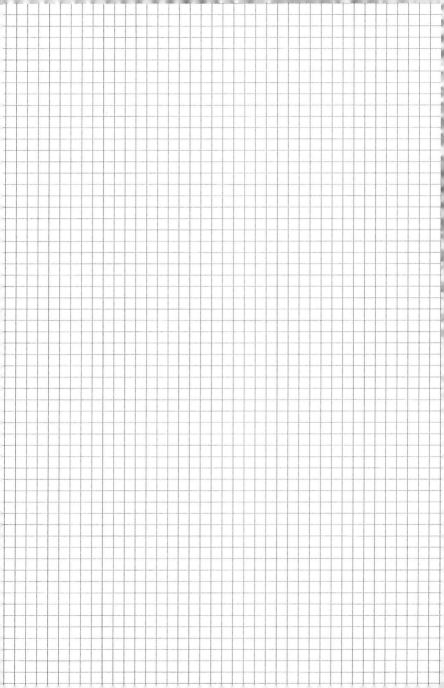

開発区中心部

N

0km   1km

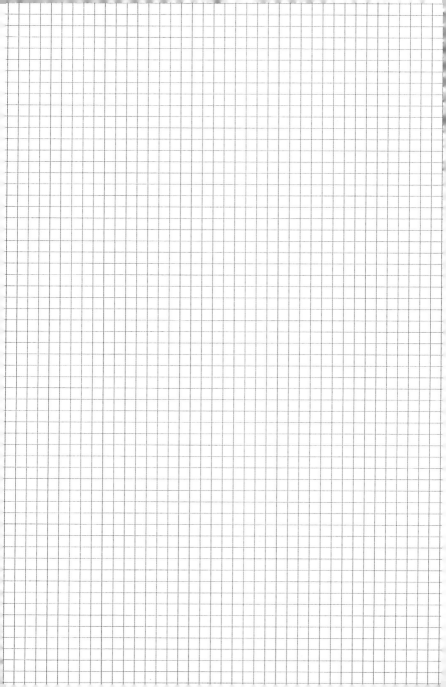

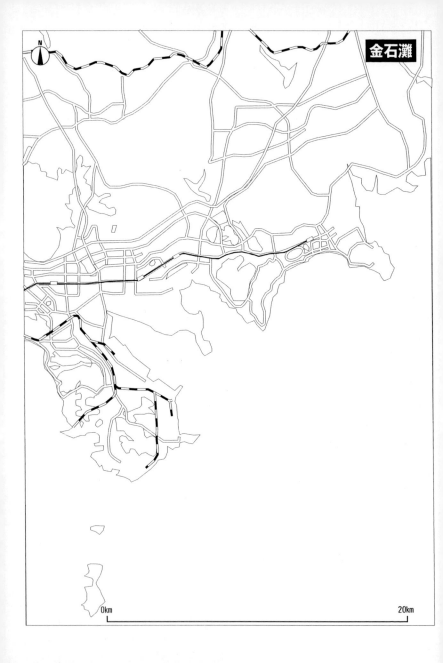
金石灘

0km　　　　　　　　　　　　　　　　20km

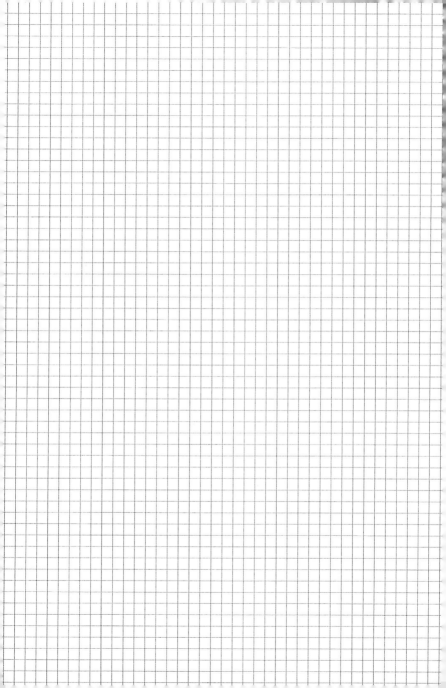

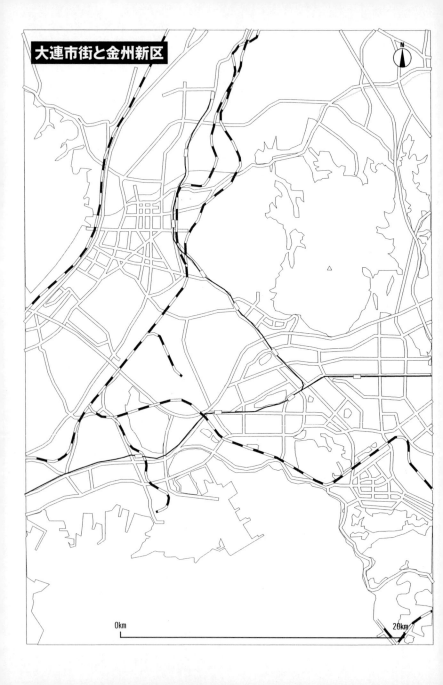

大連市街と金州新区

N

0km   20km

金州旧市街

N

0km　　　　　　　　　　　　　　　　　　1km

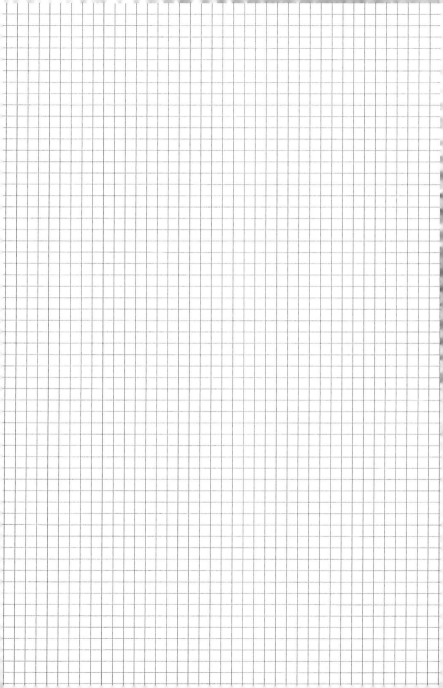

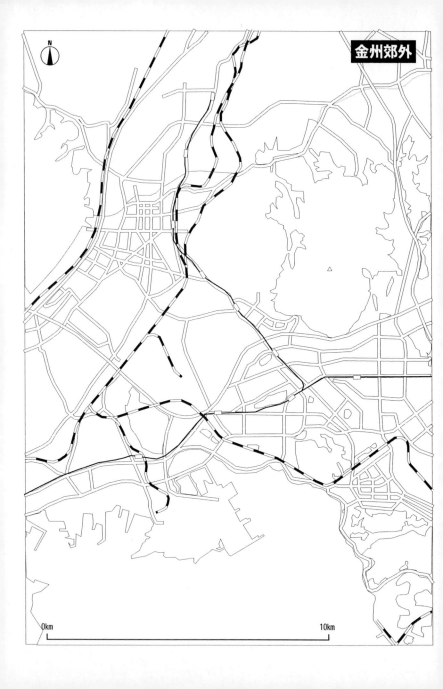

金州郊外

N

0km 10km

【車輪はつばさ】
南インドのアイラヴァテシュワラ寺院には
建築本体に車輪がついていて
寺院に乗った神さまが
人びとの想いを運ぶと言います

An amazing stone wheel of the Airavatesvara Temple
in the town of Darasuram, near Kumbakonam in the South India

まちごとチャイナ
遼寧省 005

金州新区
隣り合わせる「大連の新旧」
［モノクロノートブック版］

「アジア城市（まち）案内」制作委員会
まちごとパブリッシング
http://machigotopub.com

・本書はオンデマンド印刷で作成されています。
・本書の内容に関するご意見、お問い合わせは、発行元の
　まちごとパブリッシング info@machigotopub.com までお願いします。

まちごとチャイナ
新版 遼寧省005金州新区
〜隣り合わせる「大連の新旧」

2020年 8月15日　発行

著　者	「アジア城市（まち）案内」制作委員会
発行者	赤松　耕次
発行所	まちごとパブリッシング株式会社
	〒181-0013　東京都三鷹市下連雀4-4-36
	URL http://www.machigotopub.com/
発売元	株式会社デジタルパブリッシングサービス
	〒162-0812　東京都新宿区西五軒町11-13
	清水ビル3F
印刷・製本	株式会社デジタルパブリッシングサービス
	URL http://www.d-pub.co.jp/

MP284

ISBN978-4-86143-435-8 C0326　　　　　Printed in Japan